진로 고찰의 첫 번째 걸음은
나의 사고가 어디에 머무르길 좋아하는지
알아채는 것이다

진로 고찰의 첫 번째 걸음은
나의 사고가 어디에 머무르길 좋아하는지
알아채는 것이다

발 행 | 2024년 4월 2일
저 자 | 이주영(겨울화원)
펴낸이 | 한건희
펴낸곳 | 주식회사 부크크
출판사등록 | 2014.07.15.(제2014-16호)
주 소 | 서울특별시 금천구 가산디지털1로 119
         SK트윈타워 A동 305호
전 화 | 1670-8316
이메일 | info@bookk.co.kr

ISBN | 979-11-410-7916-1

www.bookk.co.kr

진로 고찰의

첫 번째

걸음은

나 의

사 고 가 어

디 에 머 무 르 길

좋 아 하 는 지

알 아 채 는

것 이 다

✎ 이주영(겨울화원)

BOOKK✏

The first step

in considering

one's career path

WHERE
ONE'S THINKING
LIKES TO STAY

is

to recognize 🔖

written by WINTERFG

BOOKK✏

사랑하는

부모님,

형,

아내,

아들 온유

그리고 제가 교직 1년차이던 2013년에

저와 교류했던 여러 학생들에게

책 출간의 고마움을 전합니다.

목 차

CONTENTS

제 1 장

2013년
햇살이 따스했던 어느 날,
한 고등학교 도서관에서 이루어진
진로 상담에서
교사가 학생에게 해준 말

Chapter 1

On a sunny day in 2013,
The story I told a student
in the school library
while consulting
about her career path

이 장의 내용은 저자가 2013년에 행했던 상담을, 당시의 실제 인물·기관의 이름 등을 보호하기 위해 개명하고 허구를 일부 가미해 각색한 소설입니다.

그날 오후, 그 학생과의 특별했던 상담은 전혀 예기치 않게 이루어진 것이었다.

나는 7교시까지 바쁘게 하루를 보내고, 우리 반 야간 자율학습 감독을 들어가기 전까지 도서관에서 잠깐 한숨을 돌리며, 안내 데스크의 컴퓨터로 미뤄둔 업무들을 차근차근 처리하고 있었다.

업무에 너무 집중했던 탓일까, 아니면 그 학생이 소리가 나지 아니할 정도로 가볍게 발을 내디디며 들어온 탓일까. 안내데스크 앞에 이를 때까지도 나는 기척을 느끼지 못했다.

"선생님."

This chapter is a novel adapted from the author's 2013 counseling experience by renaming and adding some fiction.

I still remember that afternoon when I consulted the student.

After busy working hours, I was stopping by the library to handle the backlog before I entered my classroom to oversee night self-study.

Was it because I was too focused on my work, or because the student stepped in lightly so that there was no sound. I didn't feel any sign until she reached the information desk.

"Teacher."

"아니, 너 어떻게 들어온 거니?"

학생은 곡선의 서가를 따라 손가락으로 입구 쪽을 가리키며 답했다.

"문이 열려 있었어요."

"아······. 내가 문을 잠그는 걸 깜빡했나보구나."

나는 앉은 채로, 그 학생은 내 앞에 선 채로 우리는 물끄러미 서로를 쳐다보았다. 다시 말문을 먼저 뗀 것은 그 학생이었다.

"저······ 혹시 지금 시간 되세요?"

"나는 지금 시간이 되기는 한데, 너는 어떻게 지금 시간이 난 거니? 지금 8교시 방과 후 수업 들을 시간 아니니?"

당시 내가 근무한 학교는, 전교생이 월요일부터 금요일까지 매일 방과 후 수업을 8교시에 듣고, 이후 야간 자율학습도 전원이 하게

"How did you get in?"

The student responded by pointing his finger toward the curve's driveway.

"The door was open."

"Oh……. I must have forgotten to lock the door."

She and I stared at each other, standing and sitting. It was the student who spoke first again.

"Teacher……. Do you have time now?"

"I'm free now, but how are you free now? Isn't it time for the after-class school?"

My school was a private school famous for having all students take after-school classes every day from Monday to Friday,

14

되어 있는 사립 고등학교였다. 만약 방과 후 수업이나 야간 자율학습을 한 차례라도 빠진다면 가차 없이 된서리가 내리는 곳이었다. 그래서 이 시간에 도서관에 학생이 드나드는 일은 원래 일어나지 않는다.

"제가 듣는 영어 수업 선생님께서 오늘 사정이 생겨서 수업을 못 하신다고 해서, 8교시 수업이 없어졌어요."

"아, 주명우 선생님 수업을 듣는 학생인가 보구나. 오늘 사정이 있어서 조퇴하셨지. 그래서 야자 시간 전까지 도서관에서 책 읽으러 온 거니?"

"책 읽어도 되기는 한데……"

"?"

"혹시 선생님께 상담 받을 수 있을까요?"

"상담?"

and all students also take night self-study.

Students who skip after-school classes or night self-study were severely scolded. Therefore, students′ visits to the library at this time do not usually occur.

"My English teacher notified that he can′t attend class today because of something. So, I have no class now."

"I see. You must be a student taking Joo′s class. He left early for something to do today. That is why you came here this time. So, Are you here to read a book?"

"Well, It′s good to read books. but……"

"?"

"Can I get a counseling from you?"

"Counseling?"

　예상 밖의 단어였다. 책을 읽으러 온 것이
면 기특하다고 해 주며 '오늘만 특별히 허락
할 테니 저녁 급식 전까지 머물다 가려무나.'
정도로 대화를 마치고 나는 밀린 업무를 하면
될 터였다. 그런데 상담이라니.

　"너는 우리 반 학생도 아니고, 내 수업 듣
는 것도 없지 않니?"

　"네, 맞아요. ……. 그래도 안 될까요?"

　만약 교무실에서 이 대화를 나눴다면 주저
없이 거절하고 돌려보냈을 것 같은데, 당시에
나는 거절하지 못했다. 지금 돌이켜보면 내가
앉아 있는 의자에서부터 안내데스크 너머 그
학생이 주뼛이 서 있는 공간까지, 그날따라
유독 창문으로 들어온 햇살이 그득하고 따스
했기 때문이었을지도 모르겠다.

　"어떤 주제로 상담을 받고 싶은 거니?"

It was an unexpected word. I was going to say in moderation, 'I'll give you special permission just for today, so stay until dinner and read a book quietly.' But, the word that came out of her mouth was Counseling.

"You are not my student. aren't you?"

"It's true. ……. Can't I get counseling?"

If I had this conversation in the teacher's room, I would have refused it without hesitation, but I couldn't at the time. Looking back now, it may have been because the sunlight that came through the window was particularly warm and full, from the chair where I am sitting to the space where the student stands.

"진로 고민이요."

"아, 진로는 중요하지. 음…… 그러면 계속 서 있을 순 없으니, 여기 앉으렴."

나는 가장 가까이 있던 바퀴 달린 의자를 가져와 건넸다. 그 학생은 사뿐히 앉고는 내 얼굴을 우두커니 바라보다 입을 열었다.

"선생님, 그런데 혹시 제 이름 아시나요?"

그 학생의 교복 재킷 가슴주머니 쪽을 흘긋 보았지만, 가슴주머니 앞섶으로 드러나 있어 야 할 이름표가 가슴주머니 안쪽으로 넣어져 있어 보이지 않았다. 하지만 학생의 말쑥한 얼굴을 보고 있으니 낯이 익어 대답할 수 있 었다.

"그럼. 제법 여러 번 얼굴을 봤던 것 같은 데? 우리 도서부 3학년인 민혜가 대출·반납 도우미하는 날마다 민혜 마치는 시간에 맞춰

"What kind of topic do you want?"

"My career path."

"Career path. It is matter. OK. Sit here."

I brought the nearest wheeled chair and handed it over. She sat quietly and stared at my face, then opened her mouth.

"Teacher, do you know my name?"

I glanced at the chest pocket of her uniform jacket, but the name tag, which should have been exposed as the front of the chest pocket, was inside the chest pocket. However, I was able to answer because I felt familiar with her neat face.

"Sure. I think I saw your face quite a few times. Aren't you a student who was waiting for Minhye in front of the library

도서관 문 앞에서 민혜랑 같이 가려고 기다리던 학생이잖아. 이름이 승아 맞지?"

"음⋯⋯. 네, 맞아요!"

승아는 잠시 대답을 고민하는 듯 보였지만 이내 화색을 띠었다.

"그래 승아야, 네가 현재 품고 있다는 진로 고민을 한 번 말해 보렴."

"네, 선생님도 아시다시피 우리 학교는 1학년 입학할 때부터 계열별로 반을 나누잖아요? 저는 1학년 때에는 인문계열 반이었는데 내신 성적이 그리 좋게 나오지 않아서 '만약 대학을 간다면 수능 위주 전형으로 가야겠구나.'라고 생각했고, 2학년 올라갈 때 이학계열 반으로 변경했었어요. 그렇게 1년을 보내고 이제 3학년이 되었는데, '일단은 공부를 열심히 해야지'라는 생각만으로는 입시 공부를

door when Minhye comes to the library to volunteer? Your name is Seung-ah, right?"

"Well······. Yes, that's right!"

She seemed to be agonizing over the answer for a moment, but soon look rosy.

"OK, Seung-ah. Tell me the career path concerns you have now."

"Yes, as you know, this school divides classes by departments from the time we enter the first grade, right? When I was a freshman, I was in the humanities class, but my grades didn't come out very well. So I thought, 'If I go to college, I should focus on the CSAT.' When I went up to the second grade, I changed to the science class. After a year, I'm senior year now,

흔들림 없이 지속하기 점점 버거워져요. 지금 이학 계열 반에 있기는 하지만, 대학을 이학 계열 학과로 진학했을 때 제 앞으로의 날들이 어떨지에 대해서도 잘 모르겠고요."

"그렇구나. 나도 이 학교에 처음 왔을 때, 신입생을 입학 전 오리엔테이션에서 실시하는 여러 프로그램 결과로 1학년 때부터 계열을 나눠 반 편성 한다는 사실이 놀라웠지. 좋은 점도 물론 있겠지만 좋지 못한 점도 상당히 많을 텐데 말이야. 승아 네가 인문계열 반에서 이학계열 반으로 변경할 때 고려한 다른 요소는 혹시 더 없었니? 이를 테면 진로 희망이나 가고 싶은 학과가 이학 계열이었다든지 하는 것 말이야."

"없었어요. 주변 친구들은 빠르면 중학생, 심지어 초등학생 때부터 장래 희망이 있는데

and the thought of 'Anyway, Let´s study hard!' no longer in power about my study-ing to go th college. Honestly, when I went to the science department, my future was vague."

"I see. When I first came to this school, It was amazing that students were divided into departments as soon as they entered the school. Of course, there are good things that classification, but there must be a lot of bad things, too. Seung-ah, were there any other factors you considered when you changed to the science class? For example, the department you want to pursue a career or want to study was science."

저는 여태껏 특별히 '무엇이 되어야겠다!'거나 '무슨 학과에 꼭 들어가야지!' 같은 생각을 해 본 적이 없었어요. 그런데 고등학교 3학년이 되어서야 이런 고민을 하고 있으니, 어디에 털어놓기도 쉽지 않은 것 같아요."

"흠……."

나는 내가 해줄 수 있는 여러 이야기 중 어떤 것이 승아에게 지금 가치 있을지 생각에 잠겼다. 그러다 잠깐 고개를 들었을 때 나를 바라보는 승아의 얼굴 너머 도서관 창밖으로 운동장 어귀에서 한 선생님께 혼나는 학생들이 보였다. 혼내는 선생님은 인성교육부장님이었다. 아마 승아와 같은 방과 후 수업을 듣는 학생들인 것 같았다. 학생들의 운동장 출입을 제지하는 인성교육부장님의 손사래를 보는 순간 생각이 번뜩였다.

"Unlike the other students, I haven't had any particular thoughts of 'I should become something!' or 'I must enter a certain department.' I'm depressed because I think I'm the only one in seniors."

"Hmm······."

I was immersed in what I could say would be valuable to her now. Then, when I looked up, I could see students being scolded by head teacher Kwon at the entrance of the playground in the distance. Perhaps the students and Seung-ah were taking the same after-school class. The moment I saw the waving Kwon's hand, A very good thing to say to Seung-ah was drwan in my head.

"승아야, 오늘 4교시 마칠 때 방송으로 인성교육부장님이 전교생에게 훈화하신 내용 기억나니?"

"네? 네. 무단횡단 금지요."

"맞아. 석식 끝나고 야자 시작하기 전까지 시간에, 정문 쪽 왕복 6차선 대로 건너편에 있는 편의점에 갔다 오려고 무단횡단을 하는 학생들이 많아서, 무단횡단은 절대 안 된다고 강하게 말씀하신 내용이었지."

"맞아요."

"왜 그 시간에 거기에서 학생들의 무단횡단이 많은 건지는 너도 잘 알고 있지?"

"네. 일단 우리 학교 매점은 7교시 전 쉬는 시간까지만 운영해서, 지금시간부터 야자 마치기 전까지는 간식을 사 먹을 수 있는 곳이 학교 안에 없어요. 가장 가까운 곳이 바로 그

"Do you remember how teacher Kwon taught all the students on the show at the end of the 4th class?"

"Yes. No jaywalking."

"That's right. Before night self-study, many students jaywalked to go to a CVS across the six-lane boulevard near the main gate, so he strongly said no jaywalking."

"That's right."

"Do you know why students jaywalking there at that time?"

"Yes. Our school cafeteria is open until the 7th class, so there is no place in our school where we can buy snacks from now until we finish self-study. The nearest CVS

편의점이에요. 그 다음으로 가까운 곳은 후문 쪽으로 나가서도 1km는 더 걸어야 나오는 면사무소 앞 마트고요."

"맞아. 그래서 학생들이 그 편의점을 저녁 시간에 가고 싶은 심정은 나도 충분히 이해가 되지. 그런데 왜 무단횡단을 하는 걸까?"

"6차선 대로를 건널 수 있는 가장 가까운 횡단보도는 정문에서 10m 정도 내려가면 나오는 버스정류장 앞 횡단보도인데, 교실에서 그 횡단보도를 건너 편의점을 다녀오려면 이동 거리가 두 배는 더 길어지니까요. 또 야자 시작 전까지 돌아와야 한다는 걸 생각하면 무단횡단 충동이 생길 순 있어요. 게다가 정문 쪽 대로는 차가 많지 않은 편이기도 해요."

"승아, 너……. 아주 사려가 깊구나. 좋아. 한 번 약도를 그려 놓고 더 이야기해 볼까?"

is that one. The next one is a big mart near the town office, where we have to walk over a half mile further from the back gate."

"Yes. I see why students want to go to the CVS. But why do they jaywalk?"

"The nearest crosswalk to get across a boulevard is one in front of the bus stop, which is about 1 yard from the main gate, and it takes twice as long to get across the crosswalk from the classroom to go to the CVS. Students can feel the pressure of time to come back before the night self-study. Plus, there are not many cars."

"Seung-ah, you······ are very thoughtful. OK. Shall we draw a map and talk more?"

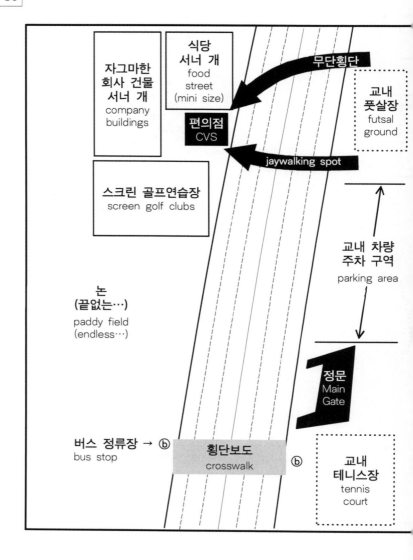

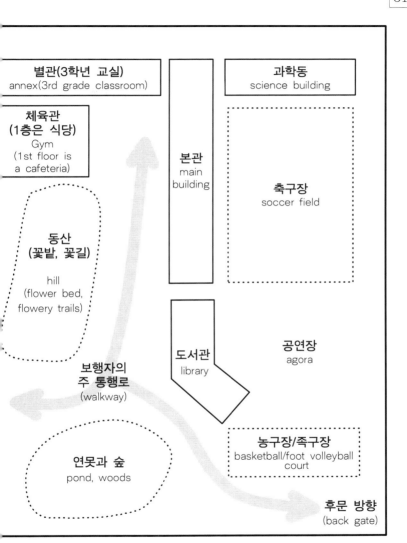

"와……."

"응?"

"아, 아무것도 아니에요."

"그래, 이제 한 번 자유롭게 승아 네 생각을 들어보고 싶구나. 이 문제를 어떻게 하면 해결할 수 있을까?"

"음……."

승아는 손가락으로 턱을 살짝 받히고, 반묶음을 한 머리의 리본장식 집게가 내 시선에 들어올 정도로 고개를 숙인 채 답을 궁리했다.

"비슷한 무단횡단에서 크게 다친 사고 사진이나 영상을 활용해서, 수업 시간에 교실마다 교통안전교육을 하면 어떨까요? AR이나 VR 콘텐츠도 많이 개발되었다고 하는데, 이런 것들을 활용하면 더 와 닿을지도 몰라요."

"Wow⋯⋯."

"What?"

"Oh, nothing."

"Well, now I want to hear your free thoughts. How can we solve this problem?"

"Let me think⋯⋯."

She tried to figure out the answer with her fingers slightly propped on her chin, and her head bowed. The ribbon-decorated tongs of her half-bundled hair came into my gaze and was trying to figure out with her.

"How about teaching in class in every classroom with a video of a serious jay-walking accident? It'll be even better if we use AR or VR content."

"오……. 확실히 무단횡단의 위험성을 대수롭지 않게 생각하고 있었던 학생들 중 상당수가 크게 충격을 느끼고 위험성을 실감할 수 있겠구나. 다른 방법은 또 어떤 게 있을까?"

"음, 아무래도 학생들이 다칠까봐 걱정하시는 게 중요한 포인트 중 하나겠죠? 저녁 시간에도 운전자들 눈에 잘 들어오도록 대로의 상하행 구간에 사고 주의 표지판을 두면 어떨까요? 요즘은 LED나 음향이 얹어져서 주목도가 높은 표지판도 많이 나오는 것으로 알고 있어요?"

"확실히, 학생들이 다치지 않는 것이 중요하지. 주목도가 높은 운전자용 표지판을 설치한다면 그것도 나름대로 효과가 있을 거야. 또 괜찮은 방법 뭐 없을까?"

"저…… 선생님?"

"Oh……. Certainly, many of the students who didn't consider the dangers of jaywalking could feel shocked and realize the dangers. What other ways are there?"

"Well, I guess it's one of the main points that teachers worried about a car accident, right? How about putting up an accident warning sign on the boulevard to make it easier for drivers to see at night? There are many high-profile signs these days with LED and sound?"

"Certainly, it's important that students not get hurt. If we put up high-profile driver signs, that could work in its own way. Is there any other good way?"

"…… Teacher?"

"응?"

"지금 상담해주시는 거…… 맞죠?"

"하하, 물론이지. 몇 개만 더 이야기해보렴."

"네……. 선생님, 학생회 또는 봉사동아리 등에서 순찰을 도는 방법도 생각해 봤어요. 아무래도 거기에서 무단횡단을 만류해줄 수 있는 누군가가 있으면 무단횡단을 하려다가도 단념할 수 있을 테니까요. 하지만 선생님들께서 매번 추가적인 순찰로 시간 뺏기시는 것이 여의치 않으실 수도 있고, 학생회나 봉사동아리가 하는 것도 그 친구들에게 부담이 될 수 있을 것 같다는 생각이 들었어요. 다른 방법은…… 저녁 식사 시간 이후 군것질이 건강, 체형, 공부 등에 안 좋다는 영양선생님의 교육……?"

"Yes?"

"What you're doing now is counseling, Right?"

"Hahaha, of course. Talk a few more."

"Okay……. I have considered going on patrol at evening. Teachers, Student council or volunteer club can do. I think if there's someone there who can dissuade students from jaywalking, they might be deterred from trying. However, I feel that it may not be convenient for teachers to lose time. And also for friends. Let me think …… another option is school dietitian's education that snacks after dinner are bad for health, body shape, study, etc. ……?"

"기특하구나. 그래, 대답해 주어 고맙다. 혹시 이런 방법은 어떨 거 같아? 정문 쪽 대로 중앙선에 분리대를 설치하는 거지. 사람이 사실상 물리적으로 넘기가 불가능한 높이와 형태로 설치하는 거야. 그러면 길을 건너는 유일한 방법은 정문 쪽 횡단보도를 이용하는 것만 남지. 어때?"

"네? 그건 좀……. 우리 학교가 사방이 논밭이라 놀림 받을 때도 있지만 시야가 탁 트여 있는 게 장점인데, 그런 걸 설치하면 득보다 실이 많을 것 같아요."

"그래? 그러면 이건 어때? 학생들이 무단 횡단을 하는 지점 전후로 도로 지하화를 하는 거야. 차가 지하차도로 통행하고, 사람들은 지상을 자유롭게 오가는 거지."

"네에……? 혹시 정답이 그건가요?"

"I'm proud of you. thank you for your answer. How about something like this? To set up a divider on the main line. It's a height and shape that people can't physically cross. Then the only way to cross the street is to use a crosswalk. What do you think?"

"What? That's …… not good. There are times when my school is teased because it is a rice field everywhere, but the advantage is that the view is open. I think your solution does more harm than good.

"You think so. Then how about this? To make an underpass. Cars go underground, people are free to travel on the ground."

"Eh? Is that the right answer?"

　　나는 풀이 죽은 승아의 반 묶음 머리와 표
정을 보며 얼른 손사래를 쳤다.

　　"아냐, 아냐. 정답은 없어. 좋아. 그러면 승
아 네가 4개는 말해주었으니, 나도 2개만 더
예를 들어보고 그 다음에 이 이야기를 꺼낸
이유를 밝히마."

　　"아……, 네!"

　　"뭐, 이런 방법도 있을 거야. 편의점 앞에
도 횡단보도와 신호등을 설치하는 거지. 정문
아래 버스 정류장 횡단보도와 신호가 같아도
좋고, 아니면 보행자가 버튼을 눌러 작동시키
는 감응식이어도 괜찮고. 아니면 우리 학교는
지금 울타리가 없잖아? 정문과 후문을 제외하
고는 드나들 수 없게 높은 담을 쌓는 거지.
그럼 편의점 가려면 정문으로 나가야 할 테
고, 정문에서 횡단보도는 가까우니까, 해결?"

I quickly waved my hands at her half-bundled hair and face in a droop.

"No, no. There's no right answer. OK. Then since you told me four, I'll give you two more examples and tell you the reason why you brought this up."

"Ah……, Yes!"

"Well, To install crosswalks and traffic lights in front of the CVS is another option. It can be ASO, is an adaptive signal operation. One more thing……. Ah, this school doesn't have a fence now, right? To build a high wall except for the front and back gates. Then students will have to go out to the front gate to get to the CVS. How about a solution like this?"

"아…… 그런 쪽은 그다지 생각해 보지 않았어요. '그다지…….'라는 생각도 들고요."

"그래? 왜 그렇게 생각하지?"

"일단 무단횡단은 기본적으로 나쁜 행동이잖아요. 우리가 '무단횡단은 안 해야지.' 하면 끝날 것을……. 담벼락을 두르면 교정이 답답해질 것 같아요. 그리고 우리 학교가 엄청 넓잖아요. 연못, 숲, 언덕도 있고 운동장도……"

승아가 고개를 돌려 운동장 쪽을 슬쩍 보았다. 아까 인성교육부장님이 지도한 덕분인지 운동장은 텅 비어 있었다. 다시 내 쪽으로 고개를 돌린 승아가 계속해서 말을 이어갔다.

"그리고 그렇게 해서 무단횡단이 불가능하게 하는 것으로 과연 충분한지 의문이에요. 무단횡단은 나쁜 것, 위험한 것이고 나쁘거나 위험한 것은 하지 않아야겠다는 생각을 할 줄

"Oh······ I didn't think much about that. and······ that's ······ not good."

"Really? Why do you think so?"

"First of all, jaywalking is basically bad behavior. If we just think 'We shouldn't do it,' it would wrap it up. I think the campus would be stuffy if a wall is put on. And the campus is too large to ······."

Seung-ah turned her head and peeked at the playground. The playground was empty, perhaps thanks to the guidance of thecher Kwon earlier. Seung-ah turned her head back to me, continued to talk.

"And I wonder if it's enough to make jaywalking impossible. I think it's more important to make them think that jay-

알게 하는 게 더 중요한 것 같아요."

"승아야."

"네?"

"고맙다. 네가 적극적으로 대답해 주어서 너에게 더 유의미한 진로상담을 해줄 수 있을 것 같구나."

나는 조금 커진 승아의 눈과 약간 상기된 얼굴을 바라보며 차분하게 이야기를 풀어나갔다.

"일단 대학은 학문을 하는 곳이고, 학문을 하는 데 어려움이 없도록 사회에서는 대학에 많은 혜택을 주지. 대학생이 되어 보면 더욱 느낄 수 있겠지만, 대학에 속해 있는 시간은 대부분의 대한민국 사람들에게 있어 평생에서 손에 꼽을 만큼 특혜를 누리는 시간이거든. 그런데 왜 이런 특혜를 대학에 주는 걸까?"

walking is a bad thing, a dangerous thing."

"Seung Ah."

"Yes?"

"Thank you. I think I can give you more meaningful career counseling because you answered positively."

I calmly told the story, looking at Seung-ah's slightly enlarged eyes and slightly glowed face.

"First of all, a university is a place to study, and society benefits universities a lot so that they don't have difficulty in a study. The time a korean belong to a university is one of the most privileged times in their life for most Koreans. But why give such privileges to universities?"

"수준이 높은 곳이라서…… 일까요?"

"절반 정도 맞는 말이야. 대학교는 고등교
육기관이고, 거기서 이루어지는 학문은 수준
이 대단히 높지. 그런데 인생에서 중요한 것
은 속력이 아니라 방향이라는 말도 있잖아?
수준이 높다고만 해서 사회 공동체, 넓게는
인류가 '대학에 혜택을 주자!'는 합의에 선뜻
이를 수는 없어. 대학에 특혜를 주는 이유는,
대학에서의 학문은 인류의 현재진행형인 문제
들에 대한 해결책을 찾는 학문이기 때문이야.
다시 말해 대학에 간다는 건, 누군가에게는
단순히 캠퍼스 라이프, 취업 또는 자격이나
면허 취득 요건 충족이 전부일 수도 있지만
사실은 인류가 아직 해결 못한 문제의 해결책
을 찾는 학문을 하는 게 본질인 셈이야."

"아……."

"Because It´s a high level place……?"

"Half right. Universities are higher education institutions, and the academic discipline there is very high level. But there´s a saying like this, 'What matters in life is not a scalar, but a vector.' The reason for preferential treatment for universities is that their studies seek solutions to many of the ongoing human problems. In other words, going to a university, for someone, may simply be about campus life, employment, or meeting qualifications or licensing requirements, but the truth is that finding solutions to problems that haven´t solved human beings yet is the essence of it."

"Ah…….."

"다만, 그 해결책을 찾기 위해 무엇을 바라보는지가 계열마다 조금씩 다른 편이야. 우리 학교의 반 편성을 기준으로 이야기하면 계열은 크게 7가지로 구분되지?"

"네, 인문, 사회, 교육, 이학, 공학, 의학, 예술·체육이요."

"그 중에 예술·체육을 제외한 나머지 6개 계열은 크게 두 그룹으로 묶을 수 있는데, 하나는 **'인간 포착'**에 방점을 둔 인문, 사회, 교육 계열이고 다른 하나는 **'환경 포착'**에 방점을 둔 이학, 공학, 의학 계열이야."

"인간 포착과 환경 포착……."

"전자는 문제 상황에 직면했을 때 사람과 문화를 먼저 변화시키는 데 주목하고, 후자는 문제 상황에 직면했을 때 사람을 둘러싸고 있는 것들을 먼저 변화시키는 데 주목하지."

"However, each department has a slightly different perspective on what they look for to find a solution. Based on the class organization of this school, there are seven categories, right?

"Liberal art, Social science, Education, Engineering, Physical sciences, Medicine and Cultural and sport arts."

"Out of the six except for the last one, the first three are friendly to a **Human Focuser** and the second three are friendly to a **Circumstance focuser**."

"Human and Cricumstance……."

"The former focus on changing people and cultures in a trouble. The latter focus on changing circumstance in a trouble."

"아직 조금 어렵게 느껴져요."

"무슨 말인지 어려우면, 네가 어떤 문제 상황에 직면했을 때 어떤 생각을 먼저 하는지, 어느 방향이 옳다고 보는지, 뭐가 중요하다고 생각하는지를 곱씹어보면 된단다."

"아까 선생님과 나눈 무단횡단 해결에 대한 대화에서…… 저는 '인간 포착' 쪽이었군요?"

"그렇지. 그리고 내가 예로 든 건 모두 '환경 포착' 쪽이었고."

"정답이 없다고 말씀하셨던 건……"

"그래, 인간 포착 사고와 환경 포착 사고 중 어느 것이 항상 옳다고 단정할 수 없어. 전자는 아무리 환경을 손봐도, 사람이 바뀌지 않으면 문제는 없어지지 않는다고 여길 테고, 후자는 아무리 사람을 바꾸려 해도 완벽하지 않으니 아예 환경을 손봐야 한다고 할 테지."

"It still feels a little difficult."

"Then think about what you think first to solve a problem. And think what you think which solution is right or important when faced several options for a trouble."

"……! In the conversation we had a while ago, I was a Human Focuser. right?"

"Yes. I was a Circumstance Fuocuser."

"Then, 'There was no answer' means,"

"Yeah, They're both right. The former stresses that no matter how much we reform conditions, problems will not disappear unless humans change. The latter stresses that no matter how hard we try to change humans, we cannot completely change them, so you should reform conditions to remove problems.

나는 시계를 흘깃 보고 바삐 말을 이었다.

"인간 포착 사고가 강한 이와 이학, 공학, 의학 계열 또는 환경 포착 사고가 강한 이와 인문, 사회, 교육 계열은 미스매치라고 할 수 있지. 미스매치에서 일하고 학문하면 스트레스, 무력감, 불행하다는 느낌을 많이 받게 돼."

"그렇군요."

"물론 각 계열의 세부적인 심화 분야나 직무에서는 그 양상이 달라지기도 한다만. 이런, 이제 석식시간이구나?"

"아……. 붐비기 전에 얼른 가봐야겠어요. 그래도 덕분에 방향성을 잡아볼 수 있을 것 같아요. 선생님, 감사해요! 아, 그리고 선생님, 제 이름은 ⬜⬜⬜ 입니다!"

이름은 석식 종소리에 묻혀 잘 들리지 않았고, 내 첫 진로상담은 이렇게 끝이 났다.

So It can be said that there is a mismatch between human focuser with Liberal art, Social science and Education. Also there is a mismatch between Circumstance Focuser with Engineering, Physical sciences and Medicine. Mismatches bring misfortune."

"I see."

"However, there are exceptions in the detailed areas and duties of each department. Oh, it's already dinner time?"

"Ah……. I should get going before it gets crowded. But I think I can get my career path direction right now. Thank you! And teacher, My name is _____!"

The Last word was buried in the bell sound, and my first career counseling ended.

제 2 장

$\left\{\begin{array}{l}\text{인문}\\\text{사회}\\\text{교육}\end{array}\right\}$ 계열   vs $\left\{\begin{array}{l}\text{이학}\\\text{공학}\\\text{의학}\end{array}\right\}$ 계열

이라는 꺼풀 속
'인간 포착 vs 환경 포착'
이라는 사고의 차이

Chapter 2

$$\left\{ \begin{array}{c} \text{Liberal art} \\ \text{Social science} \\ \text{Education} \end{array} \right\} \text{ vs } \left\{ \begin{array}{c} \text{Engineering} \\ \text{Physical sciences} \\ \text{Medicine} \end{array} \right\}$$

or   **'Human focuser'** vs
                    'Circumstance focuser'

이 장은 앞장의 후일담입니다. 앞 장에서 이뤄진 상담이 끝난 후, 도서관에 남은 교사가 회고하는 형태로 추가적인 내용이 서술되어 있습니다.

　내가 고등학생이던 시절, 소위 '인문계'라고 불리는 일반계 고등학교에는 당연하다는 듯이 문과와 이과의 구분이 있었다. 사회와 대학이 그리 구분하고 있어 고등학교에서도 문·이과를 나눈 것인지, 아니면 고등학교에서 문·이과를 구분하다 보니 대학과 사회도 그런 식이었던 건지 그 선후 관계를 정확히는 모르겠지만, 그 시절 거의 모든 일반계고 학생들은 문과 또는 이과 중 하나를 택해야 했다. 그리고 그 선택은 고작해야 15세 안팎의 나이에, 대부분 그 때까지 자신이 받은 수학 성적을 가장 중요한 고려 요소로 놓고 이루어졌다.

This chapter is a follow-up to the chapter 1. It is a chapter that supplements what was covered in chapter 1 in the retrospect form.

When I was a high school student, the so-called "an academic" high school had a distinction between liberal arts and natural sciences as if for granted. I don't know the exact origin of the distinction between liberal arts and science in general high schools. Obviously, almost every general high school student at that time had to choose either liberal arts or natural sciences. And that choice was made mostly at the age of 15 or so, with their math grades the most important consideration.

당시 나는 수학을 내가 살던 지역에서 매우 잘하는 축에 속하였으나, 몇 가지 시시콜콜한 이유로 이과 대신에 문과를 선택했다. 하지만 대부분의 내 또래는 고등학교 1학년 때까지의 수학 실력 등을 중요한 기준으로 삼아 이과 또는 문과를 제각기 골랐다.

세월이 흘러, 나는 여전히 그때처럼 학교 급식을 먹고 있지만 신분은 학생에서 교사로 바뀌었다. 그리고 '문과', '이과'라는 부름은 흐릿해지고, 굳이 필요하다면 '인문·사회계열', '이학·공학계열' 따위의 명칭을 사용하고 있는 오늘날에도 나는 그때 느꼈던 여러 의문들을 잊지 않고 기억해둔 덕분에 방금과 같은 갑작스런 상담을 그럭저럭 잘 해낼 수 있었다.

'고1 때까지의 수학 성적이 잘 나왔다고 그 이후의 수학도 잘 하리라는 보장은 없는데.'

At the time, my math grades are top in the town, but I chose liberal arts instead of natural sciences for a few reasons. However, Unlike me, most of my peers chose either science or liberal arts according to their current math skills.

I am still eating school meals like I did then, but my status has changed from student to teacher. And even today, when the names "Liberal art and social sciences" and "Physical sciences and engineering" are used if necessary, I still remembered the various questions I felt at the time.

'There is no guarantee that a freshman will do well in math after their first year of high school.'

　'고등학교 사회 과목들이 과학 과목들보다
는 덜 어려워 사회 쪽을 선택했다가, 그대로
대학을 사회 계열 쪽으로 갔는데 그게 안 맞
으면 그땐 어떡하지?'

　'애초에 문과 쪽 계열에 맞는 사람과 이과
쪽 계열에 맞는 사람은 어떻게 다른 걸까?'

　'스포츠나 게임에서 마음에 들지 않는 역할
을 수행하는 것이야 그 라운드가 끝나기까지
의 잠깐이지만 인생은 그렇지 않은데…….'

　내가 이런 의문들에 대한 한 가지 답을 충분
히 구체화하기까지는 꽤 긴 시간이 필요했다.

　고등학생이던 시절, 대학생이던 시절, 군인
이던 시절, 그리고 교사가 된 지금에 이르기
까지 내가 만난 여러 사람들이 단서를 주었
다. 눈앞에 제시된 논제 또는 실제 문제 상황
그리고 그에 대한 해결책에 대하여 사람들은

'What if Someone who went to the department of social science because high school social studies is less difficult than science unsuitable for their major?'

'How is there a difference between a person who fits the liberal arts field and a person who fits the science field?'

'Performing a unfit role in a sport or game is a brief moment. But doing that in a real world is not.'

It took quite some time to specify the answers to these questions sufficiently.

From student age to now, many people I have met have given me clues. Each of them has a different reaction in front of the various real-world problem situations.

제각기 다른 태도와 반응을 보였고, 거기서 영감을 얻었다. 이윽고 고찰 끝에 **인간 포착 사고**와 **환경 포착 사고**라는 두 패러다임을 도출할 수 있었다. 동시에 두 사고는 서로 접하지 못하고 평행선만 긋는 듯 보이지만 실은 이중나선의 형태로 긴 역사 속에서 함께 인류 공영에 이바지해 왔음을 느꼈다. 나선 한 개만으로는 어떠한 결합도 쌓아올리지 못한다.

그리고 오늘날의 대학 학과전공 분류 틀인 인문·사회·교육 계열과 이학·공학·의학 계열에 두 패러다임을 단순 대응시키는 것은 조금은 천진난만할 접근일 수도 있다는 생각도 들었다. 이를테면, 의사가 제 아무리 명의일지라도 환자가 아무것도 바꾸지 않으려 하는 상황에서는 문제 상황을 완벽하게 컨트롤할 수 없기도 하니까 금연, 금주, 숙면을 권면하지 않나.

From there, I was inspired, and after consideration, I was able to derive two paradigms: **Human focuser** and **Circumstance focuser**. The two paradigms seem to draw parallel lines without being in contact with each other. But in fact, I felt that they had contributed to the co-prosperity of mankind in the long history in the form of a double helix.

I also thought that simply responding the two paradigms to today's classification frameworks, 'Liberal art, Social science and Education' and 'Engineering, Physical sciences and Medicine' might be a little naive. For example, if a patient doesn't want to change anything, no matter how

폭음, 줄담배, 밤샘을 이어가는 환자가 조금도 변하지 않는 상황에서, 그 환자의 현재 질병을 완치하고 더 이상 같은 질병이 생기지 않게 할 도리는 없는 것이다. 결국 각 계열 내에서도 한 쪽 패러다임이 100이고 다른 패러다임이 0인 경우는 없다. 게다가 현실 세계는 여러 계열이 얽히고설킨 융·복합적인 수많은 '실제'들로 충만한 공간이다. 그래서 어디까지나 방금 상담은, 진로 고찰의 첫걸음은 될 수 있어도 마지막 걸음은 결코 될 수 없다. 이 점을 더 환기하며 상담을 마무리할 수 있었다면 더 좋았을 텐데.

부디 방금 나와 스쳐간 그 학생을 비롯해 나를 거쳐 가는 모든 학생들이, 본인에게 맞는 선 위에서, 반대편 선에 선 이들과도 호응하며, 행복한 삶을 살아가면 좋겠다.

much a doctor can't completely control a illness. In a situation where the patient who is a chain smoker, heavy drinker, and sleep-deprived person remains unchanged, there is no way to cure the patient's current disease and prevent the same disease from occurring anymore. So to speak, there is no case where one paradigm is 100 and the other paradigm is zero. So, the previous counseling can be the first step in career considering, but it can never be the last step. It would have been better if I evoked this point more.

I hope that students will stand on the suitable helix and live happily and get along with those who stand on the opposite helix.

제 3 장

이제,
네가 너를 포착할 때

Chapter 3

Reflect
and Reinvent Your Path

이제 이 책을 읽고 있는 독자 여러분의 차례입니다. 당신은 뭔가 유의미한 방법으로 해결해야 할 필요가 있는 상황을 마주했을 때 어떤 쪽의 생각이 먼저 떠오르나요? 상황마다 인간에 주목한 적도 있고, 환경에 주목한 적도 있다면, 당신이 더 심각하거나 중요하다고 생각한 문제 상황 또는 더 관심과 흥미가 있는 분야에서는 어느 쪽이었는지 떠올려 보세요. 일상에서 맞닥뜨리는 사소한 것에 대해서도 어떻게 반응해왔었는지 고찰해 보면 좋습니다. 진로란 '앞으로의 생애에서 나에게 주어질 수 있는 가능성과 기회들 중 어떤 것을 어떻게 활성화하며 살아갈지에 대한 여정(길, 방향)'이라고 저는 생각합니다. 당신이 활성화하는 것이 당신에게 안성맞춤이길!

 진로 고찰용 문제 해결 상황 예시
확인하기 또는 제안하기
winterfg.tistory.com/358

Now it's your turn. Which comes to your mind first when you're faced with a situation that needs to be solved? Have you become both human focuser and circumstance focuser? Then think about what you became in a problem situation that you thought was more serious or important, or in a field that you were more interested in. Consider how you have reacted to the small things you encounter in your daily life. Career path is a journey(path, direction) of how to activate any of the possibilities and opportunities that you may have in your future life. Hope your activation is suitable for you!

View or suggest examples
for career consideration
winterfg.tistory.com/358

부록

-

이 책 내용의 씨앗이 된
과거 게시물

-

The past post that seeded this book

https://cafe.daum.net/truedu/5077/45094

[참사랑국어] 카페 [교사들의 잡담..*] 게시판 45094번째 게시물(45093번째 게시물에 대한 답변 글)
두 계열의 근본적인 패러다임 차이를 얘기해 줍니다.
Re: 문과, 이과 결정 진로 상담이요~

13.10.17 11:06 작성

조회 607   추천 5   스크랩 27   댓글 18

일단 진로 설정이 확실한 학생은 진로에 맞는 계열을 선택하게 하고, 아직 자신이 어디에 소질 있는지 모르는 학생 또는 자신의 진로가 결정되지 않은 학생들을 대상으로 학생 수준에 맞춰 이런 얘기를 해줍니다.

=============================

수학을 못해서 문과라느니, 사회가 어려워 이과라느니 할 필요 없다.
공통수학 잘 했는데, 이과가서 미적 기벡 통계는 쩔쩔매는 경우도 봤고 사회가 덜 어렵다며 문과 갔는데, 윤리/철학 내용에 젬병인 학생들도 봤다.
성적 가지고 선택하지 마라.

내가 오래 산 건 아니지만, 세상 겪어보면서 깨닫기로 인문계와 자연계를 가르는 본질적인 기준은 이거다.

'인문'은 사람과 문화를 먼저 변화시키는 곳이고
'자연'은 사람의 환경을 먼저 변화시키는 곳이다.

무슨 말인지 어려우면, 네가 어떤 문제 상황에 직면했을 때 어떤 생각을 먼저 하는지, 옳다고 생각하는지, 중요하다고 생각하는지를 따져보면 된다.

예를 들어, 학교폭력이 사회 문제가 되었다고 보자.
이걸 어떻게 예방할까? 질문을 던졌을 때
"CCTV를 사각지대 없이 철저히 설치한다"
"복도 창문을 크게 만들어 사방이 트이게 한다"
"학교지킴이 분들을 늘려서 순찰을 강화하자"
등등 학교폭력이 일어나지 않도록 물리적, 환경적인 것을 바꾸자는 생각이 먼저들거나 이게 옳다고 생각하는 사람은 자연계열이 맞을 수 있다.

반대로
"가해학생들이 다시 그런 행동하지 않도록 세심하게 교육하자"
"폭력이 미화되는 문화를 개선하자"
"학생들이 작은 학교폭력을 감추지 않고 바로 알리게 끔 하자"

"예방 캠페인, 대회 등을 열자"
등등의 답을 먼저 떠올렸거나 이게 옳다고 생각하는
사람은 인문계열이 맞을 수 있어.

둘 중 어느 것이 옳다고 할 수 없어.
전자는 "아무리 사람을 바꾸려 해도 완벽하지 않다.
아예 환경을 고쳐서 문제를 해결해야 한다"라고 생각
할 것이고,
후자는 "아무리 환경을 손 보아도 사람이 바뀌지 않으
면 그 문제는 없어지지 않는다"라고 생각할 것이거든.

조금 편한 예를 하나 더 들어볼게.
우리 시의 사람들이 분리수거를 제대로 하지 않아서
쓰레기 문제가 심각하다고 해 보자. 그리고 네가 우리
광역시의 시장이야. 너는 어떻게 조치하겠니?

네가 '어떻게 교육을 해도 재활용 안 하는 사람이 생
길거야'라는 생각이 들면서
"분리수거가 손쉽도록 재활용 쓰레기통의 모양이나 디
자인을 개선한다"
"자동 분류 쓰레기통을 개발해서 길거리나 주요시설부
터 차례로 도입하여 어떻게 버려도 분리수거가 완벽
하게 되도록 분류 시설과 그에 맞는 장치를 개발한다"
"분리수거가 손쉬운 한가지 재질로 된 상품들이 많이
생산되도록 조치한다"

"분리수거를 하지 않아도 쓰레기가 남지 않는 방안을 강구하도록 지역 내 미생물학 등의 대학 학과에 연구비를 지원한다" 등을 떠올렸다면 너는 자연계열이 적성에 맞아.

반대로 네가 '어떻게 장치를 해도 완벽하지는 않아. 사람이 달라져야 해.'라는 생각이 들면서
"공공부문부터 시작해서 분리수거 캠페인을 벌이자."
"호소력 있는 연예인이나 명사를 섭외하여 재활용 광고를 제작해서 상영하자."
"학교에서 분리수거 교육을 실시하도록 조치하자," 등의 조치를 제시한다면 너는 인문계열이 적성에 맞아.

이런 예는 수없이 많지. 한두 가지로 보편적인 내 성향을 알 수 없다고 생각한다면 다음 질문들에도 답을 해보렴.

"전력난이 심각한데, 이를 어떻게 해결해야 할까?"
- 사람들이 전기를 아끼도록 한다.
- 대체 에너지나 생활속에서 전기를 만들어내는 시스템, 또는 저전력 제품을 개발한다.

"무단횡단으로 인해 사망사고가 발생해 문제가 되고 있다. 어떻게 해결해야 할까?"
- 무단횡단하지 않도록 교육한다. 누가 무단횡단을 많

이 하는 계층인지 파악해 조치한다(노인층이면 양로원 등에 교육. 학생들이면 학교에 교육 실시 등) 또는 운전자가 무단횡단 사망사고에 주의해서 안전운전 하도록 안내판을 달거나 안내자료를 배포한다.
- 건널 수 없도록 중앙에 높은 담벼락의 화단을 설치한다. 또는 육교를 만든다. 신호대기가 긴 것 같으니 줄인다. 건너는 목적(편의점이 있어서 등)을 파악해 건너지 않고도 이용할 수 있게 한다.

"소외 계층이 힘든 삶을 살고 있다. 어떻게 해야 할까?"
- 기부 문화 조성. 봉사 문화 조성(대학생 봉사단 장려 등)
- 최소한의 돈으로도 인간다운 삶을 모두가 유지할 수 있도록 기술 개발 및 혁신(저렴한 냉/난방 장치 등).

(※ 참사랑 분께 : 이런 식의 질문들을 많이 준비해 두고 있습니다. 사생팬 현상 해결, 악플 현상 해결, 쓰레기 무단 투기 문제 해결 등등… 참사랑 분들도 금방 떠올리실 수 있을 거에요^^)

물론 일부 자연계열(예.과학교육 등 자연계열 사범대)이나 일부 인문계열 학과(예.법학)는 예외가 있지만
거의 모든 자연계열 학과
거의 모든 인문계열 학과

는 저런 성질이 뿌리 깊이 들어 있어.

학교생활을 하면서 또는 일상속에서 맞닥뜨리는 문제에 대해 네가 어떤 생각을 하고 있었는지 돌아보렴.

그러고 나서 결정한다면 후회할 가능성은 훨씬 적을 거야.

참고로 사범대는 사람을 바꾸는 쪽이란다.

학교 다닐 때 나는 늘 사람이 변하면 문제는 해결된다는 생각이어서 지금 이렇게 교단에 서 있고, 오늘 이렇게 너와 상담을 하고 있지.

너도 진지하게 고민해 보렴. 그리고 다음에 다시 상담할 땐 밝은 표정으로 상담하길 기원하마.

===============================

이런 식으로 합니다.

개인으로 상담할 때에도 있고, 저런 문항지를 나눠줘서 자체 검사를 실시하기도 합니다.

이렇게 해야, 나중에라도 과를 고르고 진로를 설정할 때 자신의 적성에 맞는 곳을 고를 수 있습니다.

아직 꿈이 안 정해져 있어서 1학년 때의 성적만 가지고 문/이과를 갔는데, 막상 3학년까지 2년 가량 공부해놓고 원서를 쓰려고 보니, 또는 대학이나 취업 진로를 확인해 보니 나에게 맞는 곳이 없어서 슬퍼하는 학생들이 있습니다.

그런 학생들이 안 생기도록 하는 게 1학년 문/이과 선택을 담당하는 교사의 역할이 아닐까요?

그리고 문/이과 각각에 그에 걸맞은 인재가 가야, 민족주의 국가주의까지는 너무 넓게 나갔다하더라도, 최소한 지역과 사회에 더 큰 득이 되지 않을까요? 인문과 자연이 서로 원활하게 '공명'할 때 인류는 더 행복해질 테니까요. 도움이 되었는지 모르겠습니다^^

P.S : 이 내용은 어디서 베껴 온 것이 아니고, 제가 문과 이과에서 자존감이 높은 학생들(고등학생+대학생)의 토론 양상을 오래 지켜보다가 얻은 영감으로 이것저것 고찰해서 만든 상담 방식이랍니다. 이번에 제가 있는 학교 문집에 산문으로 실은 내용의 초안입니다만(11월 22일 발간 예정) 출처 없이 마음껏 쓰셔도 좋고, 논문이나 저작에 이런 내용 쓰셔도 좋습니다 ^^a

....

↳ [첫댓글] 와 선생님 대단하시네요. 멋져요!

↳ 와. 진짜 좋네요. 저 스크랩 해서 고이 간직할게요. 부디 지우지 말아주세요 ㅜㅜ

↳ 제가 왜 이과성향 애들하고 꿍짝이 잘 맞는지 알았어요ㅎㅎㅎ 샘 대단하십니다. 감사해요~

↳ 감사합니다. 진정한 인문학자시네요..^^

↳ 정말 대단하세요! 이 글 제발 지우지 말아주세요

ㅜㅜ 저도 여러번 읽고 생각해 본 후에, 저런 이야
기를 아이들과 해 봐야겠어요. 감사합니다. ^^

↳ 두 계열의 근본적인 차이. 학생들이 행복한 선택을
할 수 있도록 돕기 위해 노력과 고민을 많이 해오
셨다는 걸 느끼게 되네요. 저도 많은 도움이 되었
어요 ^^ 감사합니다.

↳ 진심으로 감사합니다. 선생님의 글을 읽고 그 동안
제가 했던 상담이 부끄럽네요.

↳ 멋지다!

↳ 대단하십니다. 역시나 저는 뼛속까지 이과였어염...
(현직 과학교사입니다.)

↳ 머리에 쏙쏙 들어와요!!!

↳ 고맙습니다. 상담에 크게 도움이 될것 같아요

↳ 멋집니다!

↳ 와ㅜㅜ많이 배웠어요ㅜㅜ

↳ 우와... 정말 훌륭하세요~ 저도 스크랩 해놓고 볼게
요!^^;

↳ 정말 아이들이 물어올 때마다 막막했는데, 큰 도움
이 될 것 같아요. 감사합니다.^^

↳ 감사합니다. ^^

↳ 진짜 멋있으세요 ㅠ 그러고보니 전 이과에 갈 걸
문과에 와서 고생하고 있네요 ㅋㅋ

↳ 아...머리가 띵해지는 느낌이네요. 샘, 감사합니다. 프
린트해서 리허설해보고 애들한테 말해줘야겠어요~!!!

이 책을 블로그, 카페, SNS 등에 소개해 주세요.
부크크에서 이 책을 구매하신 경우, 택배비를 돌려
드립니다!

📮 **참여방법**

① 블로그, 카페 SNS 등 온라인 상에 이 책을
   소개합니다.

② 부크크 종이도서 결제내역 - 상세 내역에서
   [후기인증 참여하기] 버튼을 누릅니다.

③ 소개를 한 페이지 URL을 작성하고 배송비
   를 환불받을 계좌번호를 입력합니다.